12
reloj de cuentos

DIRECCIÓN GENERAL DE PUBLICACIONES

CIDCLI, S. C.

Primera edición, México, 1985
ISBN 968-494-020-3

EL
DÍA
DEL MAR

EL DÍA DEL

Texto: María Luisa Mendoza
Ilustraciones: Bidina

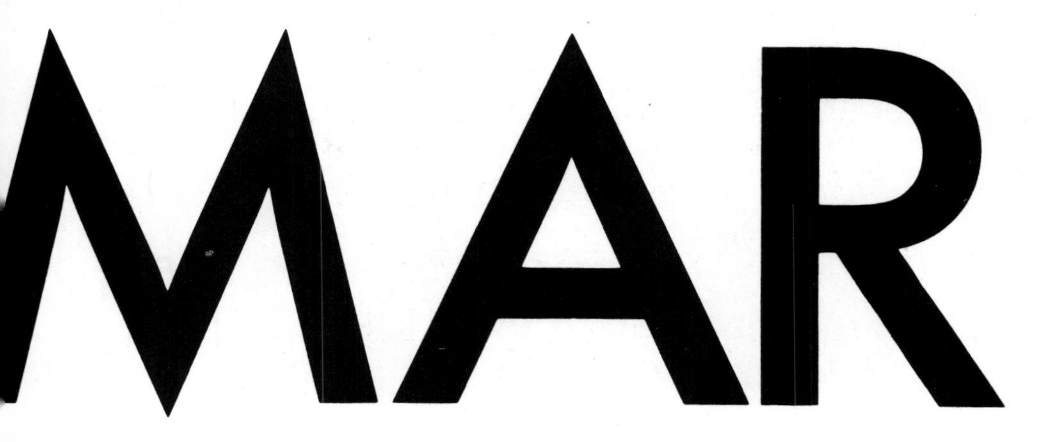

A los niños y a los animales que se han amado desde la emigración del paraíso terrenal y a mis hijas Mendoza: Gloria Elena, Jéssica, Viviana y María Luisa.

Érase que se era una niña llamada Begonia Belén que tenía un perro y quería conocer el mar. Acurrucada en el alféizar de la ventana de su cuarto, junto al perro Andrei, miraban el paisaje donde ambos nacieron: las montañas azules, moradas, grises, verdes, brillantes de espejos de agua en la mañana soleada, suaves y descoloridas al ir anocheciendo; y pensaban en el mar... bueno, ella pensaba en voz alta, y Andrei recibía su pensamiento pensándolo como un caramelo que mordisquear, triturándolo rapidito, haciendo ruidos pequeños de varitas que se quiebran o piedrecitas tocándose en la palma de la mano.

Las casas del pueblo se acunaban en la cañada donde parecían estar dormidas, como dados de madera; las casas con sus fachadas y techos, todas pintadas de colores claros al frente, donde están las ventanas, los balcones y las puertas: rosas como los vestidos del día domingo, verdes como las naranjas mandarinas bien agrias, amarillas como los barquillos de nieve de piña. Las azoteas formaban escalones, como quien dice, blanqueados de cal. Begonia y Andrei vivían en lo más alto del cerro, y por eso jugaban a que eran gigantes que bajaban pisando las azoteas hasta la calle principal y se iban corriendo al mar, y que el mar estaba más allá de la

ESCUELA
FARMACIA
ABARROTES
DULCES

estación del ferrocarril, lo cual naturalmente, no era cierto, pues de allí en adelante era la huerta de Santa Teresa, la vieja hacienda del Ojo de Agua, y los cerros y las serranías, y así.

Cuando Andrei se quedaba dormido, Begonia sentía un frío adentro de ella: el perro parecía estar muerto, y sólo el aleteo de la oreja le avisaba que ya

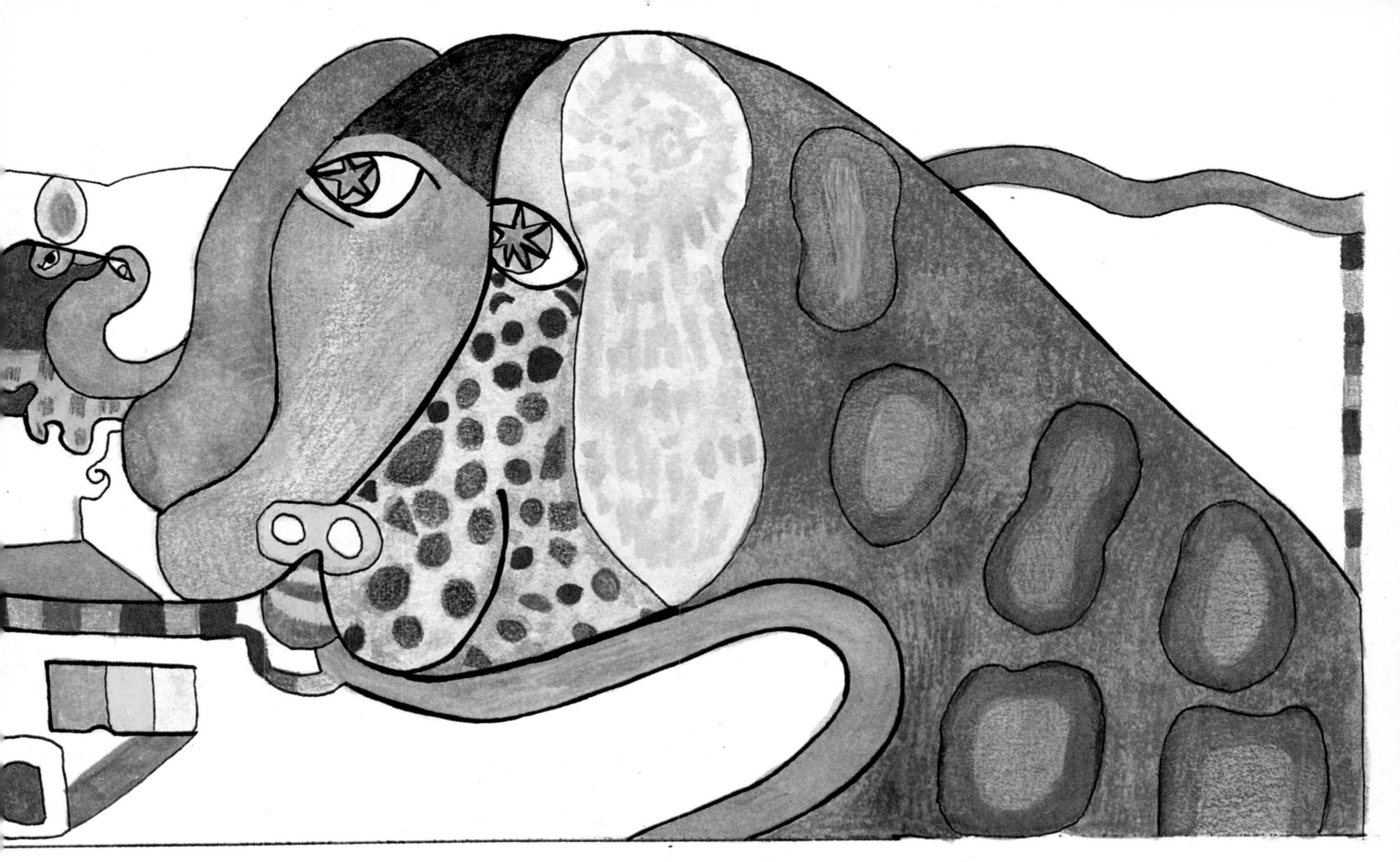

iba a despertar y juntos se irían al mar y a la arena suavecita que dicen hay en la vera de la gran agua, más más grande que la café de la presa a donde los llevaban a pasear.

—Mira, Andrei, la casa de doña Carmelucha, es la *E* con su escalera de barandal; la *L*, es la tienda del tejabán donde compramos los tejocotes con piloncillo, los capulines en miel, los garambullos azucarados, el calabazate, y, a veces, cuando no nos ven, las "Ramonas", los raspados de hielo copeteados de la grosella más roja que el pedazo colorado de la bandera. La *M* es la iglesia de las dos torres. El kiosko donde tocan la música es la *A*, y la *R*, el palacio de gobierno con los balcones de rejas boludas... Si juntas las letras, ¿qué dicen, Andrei?... Dicen: ¡EL MAR!... ¡el mar!...

Los papás de Begonia eran, desgraciadamente, muy pobres. Pero no tanto como para no juntar de a poquitos para ir con Begonia y su perro a conocer el mar. "Quizá en diciembre, mi hijita", decía el papá...

"En las vacaciones", decía la mamá. "¡Guau!", decía Andrei. "¡Ojalá!", decía Begonia. Andrei meneaba la cola igual a las olas que siempre están enchinándose el pelo.

Begonia era bonita, no mucho, pues pocos son bonitos bonitos; Andrei era feo, pero no feo feo, que nadie lo es.

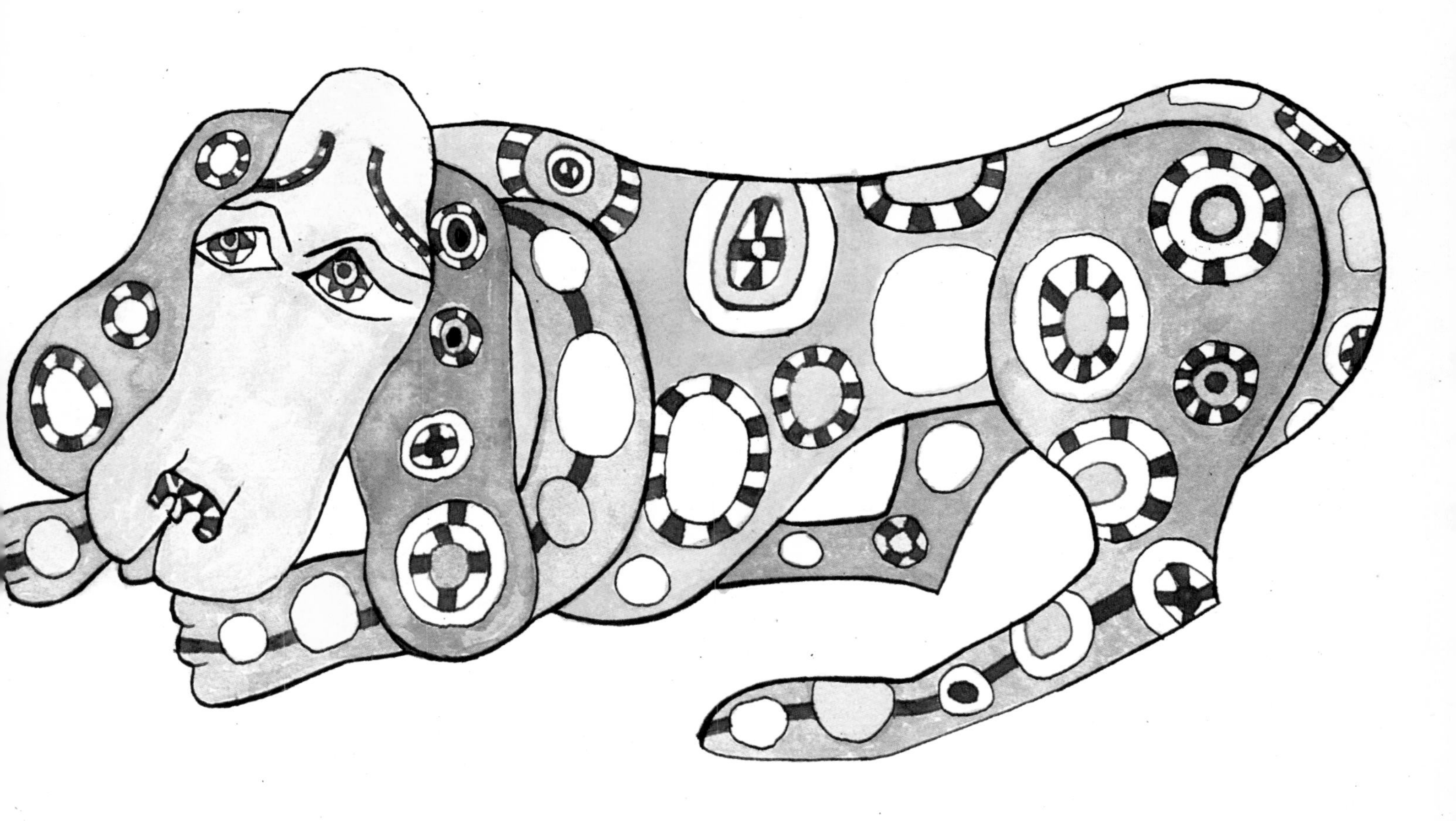

Su pelo: zalea de sol con cachos chocolate
que le recordaban a su dueña las estampas de la
costa del mar con peñascos oscuros; sus patas fuertes
y de uñas muy negras, por abajo tenían lindos,
rasposos, tibios cojines curvos que balanceaban su
caminar, sus saltos al hueso, a la pelota, a la rosca de
pan llamada pucha, que es fofa y con crestas blancas

de espuma de mar a las 8 de la mañana. Andrei comía pedacitos de lo que comía Begonia, relamiéndose los bigotes arriba, en la nariz fría, y abajo del negro hocico, en las barbas, una y otra vez, como si su lengua fuera un pescadito que saliese al aire a jugar; al bostezar, abriendo tamaña bocota, la lengua se le enroscaba haciendo reír a su ama.

Una tarde en que excursionaba por la barranca, el perro se cayó, dislocándose una pata dolorosamente hasta impedirle caminar... Begonia bajó hasta la saliente que detuvo el cuerpo tembloroso de Andrei y se lo echó encima de su espalda, como había visto llevan las mujeres del mercado a sus hijos en los rebozos.

Andrei se detuvo de sus hombros con las patas, y los brazos de la niña sostuvieron las ancas del jadeante animalito herido. Niña y perro, en la unión del amor entre ser humano y animal, los dos, que sienten igual hambre, frío, sed, amor, tristeza, sufrimiento, obra bondadosa de Dios para que el animal sirva y defienda al ser humano. Niña y perro.

Para Andrei, nadie era más bello en el mundo que Begonia, ni una pierna de pollo rostizado, ni un triángulo de pastel de fresa, ni un plato hondo con leche cruda. Para Begonia, las orejas gachas de Andrei, sus ojos vivos, apretados de estrellas, sus bufidos al oler la tierra, las flores, las calcetas de ella,

los zapatos del papá, la canasta del mandado de la mamá, significaban un regalo continuo, maravilloso. El perro ladraba ¡guau! en español, y ¡arf! en inglés, como los perritos de las caricaturas, a diferencia de los animales que hablan un solo idioma: la gallina cacarea, la vaca muge, el toro brama, el león ruge, el pollo pía, las ranas croan, los corderos balan, los

grillos estridulan... Andrei también sabía aullar, gruñir, gañir si le lastimaba algo, y lamer humilde y tiernamente la mano de quien lo acariciaba, emitiendo una especie de ronroneo que admiraba a propios y extraños, quienes decían: ¡es un gato-perro! ¡ un perro-paloma! Begonia sabía que era una paloma-gato-perro.

Llegó el mes de diciembre y los papás le dijeron a Begonia que no podían viajar al mar porque no tenían el suficiente dinero. Del pobre de Andrei ni hablaron, ni siquiera estaba en el plan. Begonia salió con su compañero llorando quedito. No bajaron los techos de las casas como los gigantes, sino lentamente caminaron la callecita que serpenteaba el cerro donde vivían. A paso de tortuga se dirigieron a la presa café, tristeando la mañana, a esa gran olla inmensa, llena de agua color cajeta de leche. Al llegar, se subieron al pretil que circunda la presa, que es calmada como todas las presas, lisita, sin olas; agua nada más meciéndose, como consolándose de no ser mar, ni laguna, ni lago.

—¡Mira el mar, Andrei!...

El perro medio cojo después del accidente daba brincos de alegría, acostumbrado a jugar a que las nubes fueran el mar, los árboles fueran el mar, las colchas de las camas fueran el mar, la ropa tendida al sol y colgando del mecate fuera el mar, un vaso de jugo de caña fuera el mar.

—¡Vámonos al mar, Andrei!... ¡Estamos en diciembre y es el día del mar!

Y diciendo y haciendo, Begonia se aventó con todo y su vestido, y sus calzones, camiseta y fondo, y sus zapatos y calcetines, y su moño en la cabeza y su cucurucho de habas cocidas que llevaba en la mano... al mar. Claro que Andrei fue en el aire tras de ella.

El agua helada recibió a Begonia con una cierta hostilidad... Era la época en que nadie entraba a ella, eran sus vacaciones de nadadores, lanchas con remos, barquitos de papel, y cuando más, aceptaba las piedras que los muchachos le echaban desde la orilla para que se deslizaran haciendo gallitos...tras...tras...tras...hasta sumirse y

empezaran las ondas a multiplicarse. . . O dentro de otra O. OOOOOOOOOOOO.

Como ustedes pueden imaginarse Begonia no sabía nadar, ni siquiera *de muertito*, pero Andrei sí. Había nacido como todos los perros con la virtud de saber nadar *de perrito*. Begonia se fue hundiendo sin perder su risa de felicidad, sintiendo solamente el frío en la piel como un segundo traje desconocido y que tuviera una sola pieza: gorro, bufanda, overol y zapatos muy pesados y de hielo. Andrei se sumergió en su búsqueda, la agarró por el cuello del vestido con sus fauces que cerró ¡clap!, como zagúan con llave. Luchó para emerger a la superficie del agua con Begonia, que seguía riéndose, y empezó a jalarla hacia la orilla. Era su deber, estaba obligado a devolver a la vida a su amada, porque Begonia le dio la vida al salvarlo en el barranco de morir allí tirado, con peligro de que vinieran los zopilotes y le arrancaran los ojos.

—¡No, Andrei, no me saques del mar, vámonos

juntos al fondo de la presa que hoy es el mar... dicen que allí hay una ciudad de oro y de plata, con casas de marfil y calles de piedras preciosas, con agua de aire y perfumes de agua, y es tan grande como de

aquí al cielo, aire de agua azul con peces y ballenas y caballitos de mar y delfines y pulpos bailarines. No me quites la oportunidad de sentir el mar, aunque sea una sola vez y aunque haga tanto frío!

Cuando Andrei dejó el cuerpo de Begonia que tiritaba de frío sobre el suelo húmedo allá atrás de la presa, en los archipiélagos de tierra con árboles que nunca llegan las aguas a tapar, había nadado tanto que se recostó junto a ella dejando que su corazón estallara como un cohete por el esfuerzo tremendo, tronara como paloma de pólvora de día de fiesta patrio, y el amor se derramara por su interior repleto de amor, como la leche cuando hierve y se sale espumeante, dichosa, juguetona, pachoncita y gotosa escurriendo hasta apagar la lumbre. Su interminable amor de perro escapó por la boca y las orejas... un

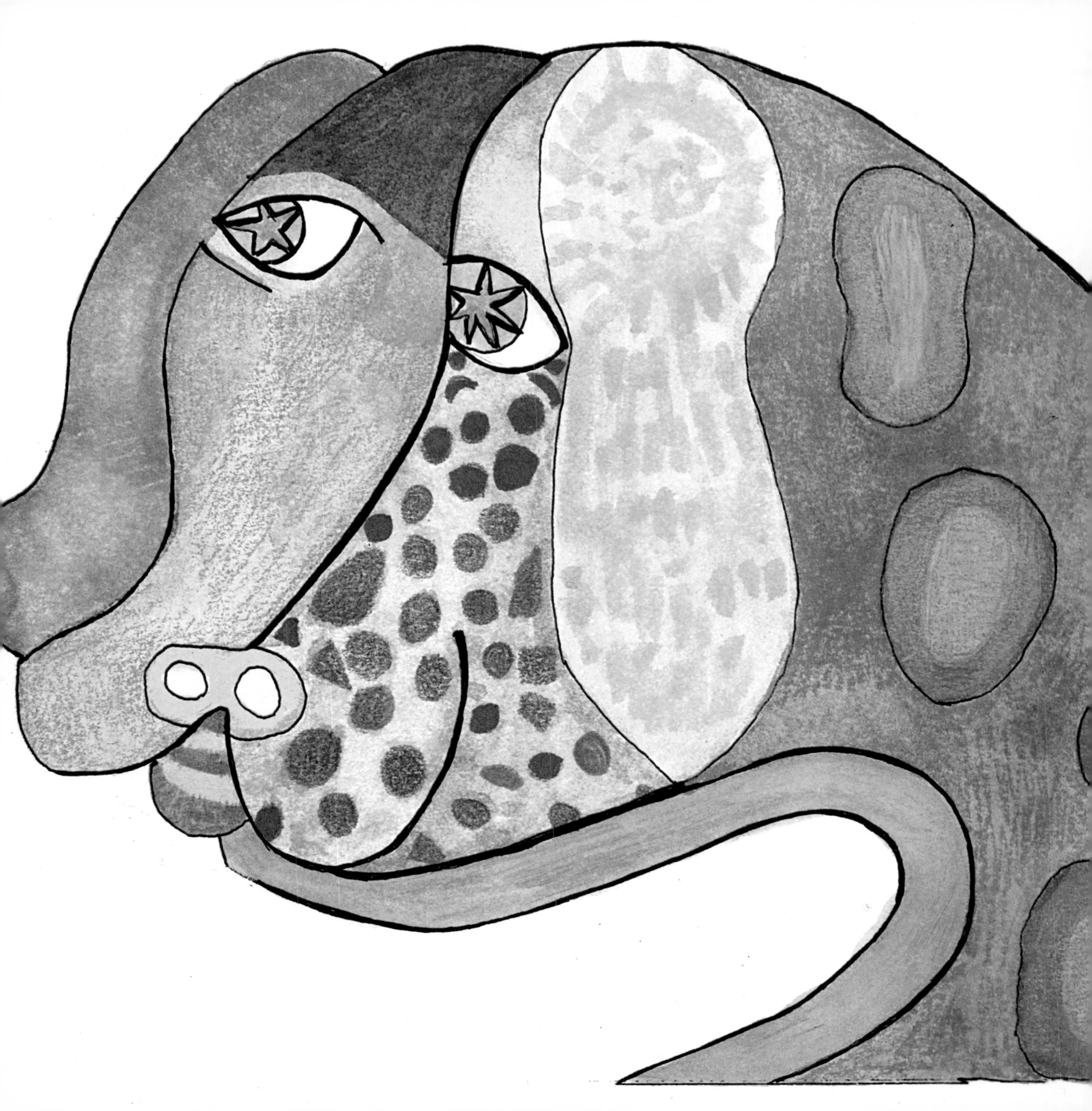

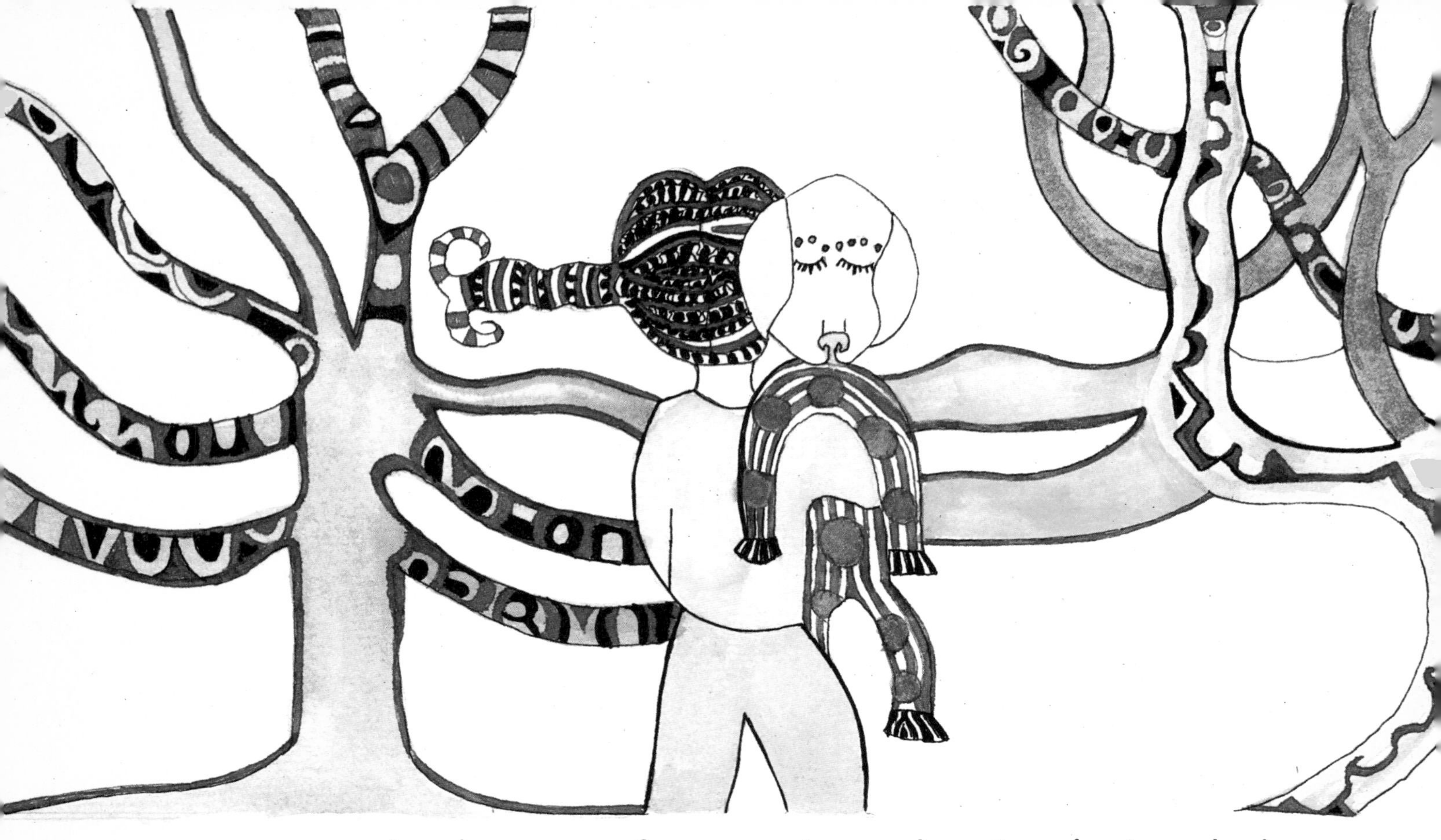

amor rojo de corazón, precioso, hacia el aire de la tarde, por última vez en su corta, leal, entregada vida de perro.

Begonia volvió llorando a su casa. Traía a Andrei en la espalda. Un Andrei que conforme avanzaba su dueña por las calles se iba poniendo duro y frío como el mármol de las estatuas de perros que adornan la entrada de la Ciudad sin Mar.

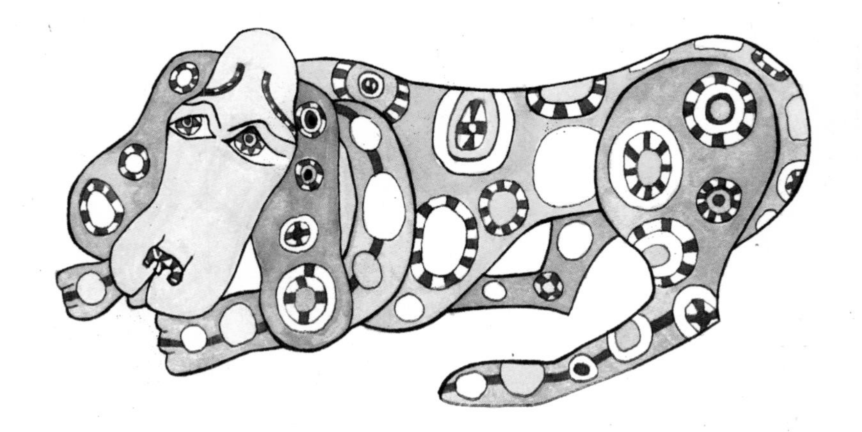

EL DÍA DEL MAR

●

Se terminó de imprimir en
el mes de febrero de 1985,
en los talleres de Imprenta
Madero.
El tiraje fue de 30,000 ejemplares.
Diseño: María Figueroa.
Cuidado de la edición: Rosanela Álvarez.